영원을 읊다

영원을 읊다

발　행 | 2025년 02월 10일
저　자 | 강금주
펴낸이 | 한건희
펴낸곳 | 주식회사 부크크
출판사등록 | 2014.07.15.(제2014-16호)
주　소 | 서울특별시 금천구 가산디지털1로 119 SK트윈타워 A동 305
호
전　화 | 1670-8316
이메일 | info@bookk.co.kr

ISBN | 979-11-419-8556-1

www.bookk.co.kr

영원을 읊다

강금주 시와 산문

차례

작가의 말

영원은 언제나 멀리 있었고, 우리는 그저 그것을 바라보며 살아왔다.
언젠가부터 나는, 그 영원을 손에 넣을 수 없다는 사실을 알았다.
하지만 아픔 속에서도, 나는 여전히 영원을 읊고 있다.

이 시집은 그런 시도이다.
사라지지 않기를 바랐던 시간들,
언젠가 다시 되돌릴 수 있기를 꿈꾸던 순간들,
그 모든 것을 붙잡고 싶었지만, 결국은 기억으로 남겨두기만 했다.
그럼에도 불구하고, 기억 속에서 영원은 여전히 살아있다.

그리고 이 책은 그런 기억들에 대한 기록이다.
함께 웃었던 순간원, 깊은 슬픔에 잠겼던 순간도, 다

시는 돌아올 수 없는 시간들도.
나는 그 모든 것을 붙잡아 두고 싶어 글을 썼다.
하지만 아이러니하게도, 글들을 써 내려갈수록 더욱
선명해지는 건 '영원은 없었다'는 깨달음이었다.

영원히 변하지 않는 것이 있다고 믿고 싶었다.
하지만 결국, 우리는 지나가는 시간 속에서 영원을
찾는 것뿐이다.
이 시집이 그 영원을 기억하고,
그리워하는 모든 이들에게 작은 위로가 되기를 바란
다.

－청소년 작가 강금주

"영원을 없지만,
우리의 마음속에 존재할 것이란 믿음."

시

착각

네가 내게 말했던 말.

"왜 슬픈 것만 써?"

미안해, 나는 기쁘지 않아서,
이제 노력해 볼게.

내가 기쁜 걸 쓰면,
네가 기뻐지겠지.

착각이 아니라고 말해주라

내가 미움을 살게

너를 좋아하는 감정이,
너를 사랑하는 감정이,
너를 애정하는 감정이.

 나에겐 마냥 독이 되더라

대체 무슨 이유로,
대체 뭐 때문에.

내가 너에게 미움을 받아야 할까

그냥 네게 미움을 받지 않고,
내가 미움을 살게.

내가 직접 말이야.

미안해, 많이..

성장통

수많은 감정들이 얽혀
성장통을 이뤄내네

하나둘씩
감정들이 풀리길 바라기도 해

성장통이
아물기도 바라

아픈 성장통 말고,
이쁜 성장통 말이야.
그리고, 그날까지 기도할게.

영원

나는 영원이라는 것을 믿었다.
아니,
나는 평생 영원이라는 것을 믿을 것이다.

누가 뭐래도,
영원이라는 것을 믿을 것이다.

나의 모든 행동과,
너의 모든 행동은,
영원하기에.
기억 속에 영원히 남아있기에.

나는 영원이라는 것을 믿었고,
앞으로도 믿을 것이다

그냥 전하고 싶었던 말

많은 아픔을 겪고 있는 당신들에게,

오늘도 고맙다는 말 전합니다.
오늘도 미안하다는 말 전합니다.

이때까지 버텨와 줘서 고맙습니다.

이제 우리 행복해져요.

너희와 함께하는 그날까지

나는 언제나 바랬어
그리고 소망했어

너희와 함께하는 그날이 오길,

너희와 함께하는 그날까지
기도할게

나라는 존재

많이들 착각한다.

나라는 존재가 누구인지.

나라는 존재는 그저,
나일뿐.

특별하지도 않았기에
큰 의미는 부여하지 않았다.

나라는 존재에 대해 깊이 알게 되면,
힘들 걸 아니 알고 싶지 않았다.

잊지 못할 너

잊고 싶지만 잊지 못하기에
내 가슴이 찢어질 거 같아

숨통이 막히고
낭떠러지에서 떨어질 것만 같아

너와 안 좋은 기억이 많았어서
너와 좋은 기억이 없어서

잊고 싶은데 잊히지 않아

너를 잊지 못하는 내가 점점 비참해지고 있어

그래도 너와 함께 했던 기억을
영원히 기억할게

좋진 못했지만,
우리 둘만의 추억이었으니

많이 아프고 무섭더라도
너를 기억할게

하늘에서도 잘 지내줘,

네가 내게 준 아픔은 영원하지만
너와의 기억도 잊히지 않길
염원할게

누군가가 기차에서 치밥을 먹고 있어요

많이 외로웠나 봐요,
누군가 당신을 봐주길 바랐나 봐요.

그래서 관심을 끌기 위해
기차에서 치밥을 먹나 봐요

하지만 나는 저것 또한
하나의 여름이라 말할게요

다른 사람들이 보기엔 이상할 수 있지만
당신은 즐기고 있다고 생각하기에
여름이라 말할게요

그리고 청춘이라 말할게요

나름 빛나니
자신만의 개성을 가지고 있으니
청춘이라 말할게요

이제 모두가 여름청춘을
즐겼으면 해요,
다른 사람에게 눈초리를 받아도
자신의 마인드대로 행동했으면 해요

은근 낭만 있을 테니
은근 즐거울 테니

그래서 기차에서 치밥을 먹는 건
하나의 청춘이라고 말할게요

그러니 너무 부끄러워하지 말아요

단순 청춘일 뿐이니

손목 위 바코드

오늘도 역시,
어제와 마찬가지로

손목 위에 바코드를 새겼어.

사람들은 그런 나를 이상하게 보았는데,
어쩔 수 없었어

내가 살아갈 수 있는
유일한 방법이 거든.

미안해, 어쩔 수 없었어

손목에 커터칼을 갖다 대는 건,
나의 소소한 행복이었거든.

다른 사람들은 웃으면 행복하겠지만,
나는 엔도르핀이 분비될 때가 행복해.

나를 중독시켜 주거든.

이렇게나마 나의 행복을 추구하고 싶어
이렇게라도 잠시 아픔에서 벗어나고 싶어

그렇게   바코드는
영원히 나의 손목에
새겨졌어.

그 모습을 보며, 많이 불안하지만
그을 당시에는 좋았으니
후회는 없어.

우리 언젠가는
바코드가 없어도
행복해지길 바라자

무질서와 혼란의 관계

나는 그렇게 생각해

무질서가 아니더라도,
혼란스러울 수 있다고.

무질서와 혼란은 연관성이 없다고

질서가 있어도,
정작 그 질서가 강압적이라면
나의 마음은 혼란스러울 거야.

그렇기에 나는,
무질서여서 혼란스럽다고 생각하지 않아.

오히려 질서가 있을 때
더 혼란스럽거든

질서를 지키는 과정에서

많은 다툼이 일어나고
갈등이 일어날 거야
차라리 무질서인 상태로 있자.

그럼 언젠간 질서가 생기겠지

사람들의 심리가 그렇게 변할 때까지
모두가 질서 있는 사회를
자발적으로 원할 때까지

기다리자

어둠은 오히려 밝아지고

나의 어두움은 아픔에서 우러나와
나의 아픔은 어두움에서 우러나오고.

아픔과 어두움은 밀집한 관계일 거 같아

하지만 아픔과 어두움은
행복을 찾기 위한 과정이자,
밝아지기 위한 단계이기도 해

그래서 아픔은 오히려
어두움을 밝아지게 하는 요인이야

많이 어두울수록
미래에는 가득히 밝아질 거야

지금 어둡고 아프더라도
미래를 위해 견뎌보자
미래를 위해 이겨내 보자

미래를 위해 살아가보자

지금 느끼는 감정이
영원하긴 어려울 테니
희망을 가지고 나아가자

아픈 것도 언젠간 잊힐 거야
힘든 일도 언젠간 지나갈 거야

언젠가가 언제가 될 진 모르겠지만
꼭 지나가리라고 약속할게

그렇게 언젠간 어둠이 밝아질 거야

오히려 어둠은 밝음이라고

과거에 머물러있는 잔여물

너와의 기억이
너와의 추억이

과거에 머물러 있었어

너와의 추억을 방해하는 것들이
내 귓가의 맴돌아

너와의 추억이
그냥 과거에 평생 머물러 있으면

과거에 머물고 있으니
잔여물이 있을 줄이야

기억 속에 상처
추억 속에 아픔

이런 잔여물이 있을 줄이야

잔여물조차 과거에 머물고 있으니
현재에 집중하면 괜찮을 줄 알았는데

그렇지 않네

잔여물이 위험한 이유가 있었네

새하얀 진심 뒤 어떤 것

맑고 순수한 네 마음 뒤에
혹시 어두운 게 있을까

깨끗하고 새하얀 진심 뒤에
혹시 어두운 진심이 있을까

새하얀 진심 뒤엔
무엇이 있을까라고 고민해 보지만

도무지 어둡다고 밖에 못 느끼겠어

어두움이 있으면 밝음이 있듯
밝음이 있으면 어두움이 있으니

그렇게 믿을거 같아

그래도 새하얀 진심 뒤엔
정말 순수한 마음이 있길

어두운 마음이라도
속은 새하얗길

그렇게 바랄게

어제도, 오늘도, 내일도

맑은 하늘같이 흘러가길
바랄게

나에겐 과거의 어떤 것이 존재했다

나에겐 과거의

보이지 않는 사랑이 존재했어
보이지 않는 행복이 존재했고
행복 사이 아픔도 존재했어

이 모든 것이 한 번에 합쳐져
혼란스러운 순간들도 있었지만

과거는 과거일 뿐

이제 과거에 어떤 것이 존재했든
신경 쓰지 않아

이로운

우리에게 이로운
타인에게 이로운
모두에게 이로운

모두가 바라는 대로
이로운 세상이 되길

사랑을 맞이하기 위해

꽃피는 사랑을 맞이하기 위해
행복을 가져다주는 사랑을 하기 위해
그 누구보다 아름답기 위해

나는 오늘도 수많은 노력을 하고
온갖 허튼짓을 하는데

왜 사랑은 내게 오지 않을까

아직 사랑을 맞이하기 위한 준비가
덜 된 걸까

언젠가 내게도 인연을 찾아와
사랑을 느낄 수 있는 날이 오겠지

미래의 나에게 쓴 편지

과거에 쓴 편지가
내게 돌아올 줄 알았는데

왜 돌아오지 못한 걸까

반배정

너와 함께할 수 있을 줄 알았는데
그러지 못한 게 절망스러워

12년이라는 시간 동안
너와 영원할 줄 알았는데

아니었어

비행기처럼

하늘을 날아오르리
이 땅에서 벗어나리
구름 위로 훨훨 날아오르라

간섭으로 인한 압박을 벗어던지고
자유를 찾아 떠나라

마치 비행기가 된 거처럼

자유를 만끽하리라
편함을 만끽하리라
기쁨을 만끽하리라

영원히 만끽할 수 있길
오늘도 기도를 해 볼게

너를 위해

플레이 리스트

나의 플레이 리스트
그리고
너의 플레이 리스트

발라드, 댄스, 힙합
아니,
우리의 플레이 리스트는

사랑이야

겨울낭만

되게 낭만적이지 않아?

누군가는 시를 쓰고
누군가는 그 시를 읽는다는 게.

그리고
그 시를 읽고 위로받는다는 게.

너무 낭만적인 거 같아

겨울날
침대에 누워 전기장판을 틀어놓고
시 한 편을 정독해 보는 건 어때?

따뜻하고 시로부터 나오는
온기가 가득한
그런 날을 보내길 바랄게

너를 위해 전하는 거야

이 모든 건

흘러가는 시간

시간이 흐르지 않길 바랐는데
어쩌다 보니
또 흘러버렸네

이별 때문에 아픈 걸까

내가 왜 아픈지 곰곰이 생각해 봤어

너 때문에 아픈 걸까
마냥 힘들어서 아픈 걸까
이별 때문에 아픈 걸까
욕을 들어서 아픈 걸까
고민이 있어서 아픈 걸까

아, 결국

이별 때문에 아픈 거였구나

과거가 돼버렸네

사랑해
사랑했어

포기하려 했는데

사실 이 모든 게 나한텐
짐이 되고 부담이 되었어

그래서 포기하려고 마음먹었는데

이 조차 포기하면 더 이상
희망에 줄기를 잡지 못할 거 같아서

다시 한번 생각해 보려고

응원해 줄 수 있어?

사람 한 명 구한답시고
도와주라

내가 간절히 부탁할 게

나는 안 아플 줄 알았는데

나는 다른 사람들과 다를 줄 알았는데
똑같은 사람이었네
아직 재능을 발견하지 못해서 그런 걸까

그냥 이때까지 기대만 가진 걸까

별 다를 바 없네

나도 똑같은 사람이었어

조금은 특별할 줄 알고
열심히 살아왔는데

아니었네
더 노력해야 하는 걸까
언제까지 노력만 하는 걸까

오래 걸리더라도

꼭 재능이 있었으면 좋겠다

이런 날 좋아해 줘서 고마워

고마워

내가 너를 싫어할 때
내가 너를 증오할 때
내가 너를 욕할 때

너는 날 좋아해 줘서
고마워

바다에 잠식되길

너와 함께한 날 들이
너무나도 소중했지만,

너와 함께한 날 들이
너무나도 행복했지만,

네가 떠나버렸기에
너와 함께 그때를 회상하는 것이 아닌
나 혼자 아픈 추억으로
기억할 수밖에 없어

요즘 매일 같이 생각하는 하나,

나도 바다에 잠식되고 싶다.

여백, 그리고 공백

너와 함께 있을 때,
너와 함께 웃을 때,
너와 함께 울 땐,

여백이었지만

이제 네가 없기에,
이제 네가 웃을 수 없기에,
이제 네가 울 수 없기에,

공백이라 표할게

우리 이제 멀어질까요

서로 죽음에 대해 고민하고,
서로 아파하고,
미안해하는

그런 관계는 원치 않아요

우리의 관계도 기간제였을까요

그러지 않길 바랐는데,
바람과 현실은 다르다는 걸.
이제야 깨달았어요.

우리 이제 멀어질까요

떠나간 사람

나의 곁을 떠나간 그대여
하늘의 곁으로 가버린 그대여

왜 그런 선택을 하셨나요

왜 저를 떠나가고
그런 선택을 하셨나요

왜 의문을 남기고 떠나셨나요

다시 내게 돌아와 줘요

그대여.

성인이 되던 해

많이 다사다난했던 어린 날들

나의 추억 속에 인물은
너와 나,
두 명이지만

어째서 나 혼자 이 추억을
회상하고 있을까

행복했던 시간들이
왜
쓰라린 추억으로 남아있을까

성인이 되던 해,
음주를 하고 싶다던 밝은 너의 모습이
그리워

성인이 되던 해,

어찌 이리 슬픈 걸까

너를 위한 주저흔

너를 위해서라면 말이야,
네가 행복할 수 있다면 말이야,
네가 미소 지을 수 있다면 말이야.

내 손목에 주저흔은 가득할 수 있어.

다 너를 위해서,
네가 행복하길 바라서.

고작 나까짓 것 몸 바칠 수 있어.

그러니 이제 행복해 줘,
부탁할게, 친구야.

산문

왜 보고 싶냐

너랑 헤어진 지 한 달

나는 왜 너를 잊지 못하고 있을까, 나는 왜 아직 너를 그리워하고 있을까, 나는 왜 아직도 너의 사진을 보며 울부짖고 있을까.

금방 마음을 다독일 수 있을 거 같았건만, 금방 마음을 추스를 수 있을 거 같았건만, 대체 왜 너를 잊지 못하고 있는 걸까.

이런 생각을 헤어지고 계속한 거 같아. 가끔 좋지 못한 생각도 하는 거 같고... 마음이 찢어질 것만 같아.

너무 미안해, 너는 내가 이러는지 모르겠지만 그래도 너무 미안해.

금방 마음을 추슬러볼게. 너를 위해서라도 말이

야.

이 글만 쓰면 괜찮아질 줄 알았는데,
이 글만 쓰면 나의 눈에서 내리는 비도 그칠 줄
알았는데,
이 글만 쓰면 진정될 줄 알았는데.

왜 보고 싶을까, 나의 그대여.

나의 마음을 알아준 그대에게

나의 친구가 되어줘서 고마워
나의 말동무가 되어줘서 고마워
나의 상담사가 되어줘서 고마워

너 덕분에, 내가 여기까지 올라올 수 있었던 거 같아. 네가 없었더라면, 나도 이 자리에 없었을 거야.

나의 마음을 알아줘서 고마워,
나의 마음을 열어줘서 고마워.

내가 괜히 너를 힘들게 했을까 봐 가끔 미안한 감정이 들기도 하지만 네게 너무 고마워. 때와 장소를 가리지 않고 나의 이야기를 들어줘서 고마워.

나도 꼭 마음을 치유해서 너의 이야기를 들어줄게.

우리 그때까지 영원하자.
우리 그때까지 서로를 지지하자.
우리 그때까지 서로를 의지하자.
우리 그때까지 서로를 사랑하자.
우리 그때까지 서로를 애정하자.

나의 사랑이 되어줘서 고마워.
나의 선생님이 되어줘서 고마워.

나의 마음을 알아준 그대에게.

평화를 맞이하기 위한 절차

이 또한 평화를 위한 준비라고 할 수 있는 걸까.

세상이 무너지고, 또 내가 무너지고, 사람들이 무너지는 이 세상에서 평화를 기대해도 되는 걸까.

매번 시간이 해결해 줄 거라 믿고, 객관화를 해도 아픔은 시간이 해결해 줄 수 없는 걸까.

세상, 평화, 시간.

대체 무슨 연관이 있길래 나를 이리 아프게 하는 걸까. 대체 무슨 일 때문에 내가 이렇게 힘들어야 할까. 모든 게 내 잘못이라며 죄책감을 가져야만 끝날까. 나는 지금도 너무나도 큰 책임 때문에 곤란해하고, 혼란스러워하고 있는데. 대체 내가 전생에 무슨 잘못을 지었길래 이러고 있는 걸까.

언젠간 평화가 오고, 시간이 아픔을 해결해 주는 나만의 세상이 오지 않을까 싶어.

꼭 이 바람이 실현되길 기도할게.

나의 마음을 열어준 그대에게

내가 힘들고 아플 때,
네가 나의 마음을 열어줬어.

어떻게 열어줬냐고?

먼저 공감해 주고, 먼저 물어봐줬어.

작은 말이지만, 내겐 너무나 큰 위로였고 관심
이었어

내가 이 험한 세상을 살아가며 그런 말을 들은
게 처음이었 거든. 그래서 너무 고마웠어, 한 편
으론 너무 미안했어. 나는 그렇게 알아주지 못했
기에, 너무 미안했어. 그래서 다짐했어. 더 발전
해 보겠다고, 더 행복을 위해 노력해 보겠다고.
그러니 제발 계속 나를 바라봐 줘. 내가 행복하
던, 피폐하던 나를 지켜봐 줘

결국엔 성공해서 네게 보답할 테니.

다짐과 희망의 시발점에서.
나의 마음을 알아준 그대에게.

겨울, 아 시리다

여름이 지나고 결국 겨울이 와 버렸어

내 마음 한 구석에 겨울이 파고들었어, 나올 생
각 없이.
나는 겨울을 맞이할 생각이 없었는데,
겨울이 그냥 와 버렸어.

그만큼 여름이 부담스러웠나 봐.

겨울이 마음 한 구석 자리 잡으니,
점점 시리기 시작해.
여름을 다시 바라진 않지만,
이런 겨울도 바라지 않는 걸.

그냥, 남들처럼 평범한 겨울을 바라.
그리고 그냥 남들처럼 평범한 여름을 바라고.
색다른 여름, 겨울? 난 괜찮아.
그리 특별하지 않아도, 내가 특별하게 만들 수

있거든.

그러니 남들과 똑같이 내게 다가와 줘.

다사다난한 일상 덕에 많을 걸 배웠고,
아픈 일상 덕에 많은 위로를 받았어.

그러니, 이제 평범한 여름과 겨울을 맞이할 수
있길.

네가 그립던 날

네가 너무 그리워서,
네가 너무 보고 싶어서,
네가 너무 좋았어서.

다시 한번 눈물을 머금었어.

내 눈가는 눈물로 인해 촉촉해져 있고,
내 표정은 네가 보고 싶은 듯 아쉬운 표정이야.

너와 더 오래 같이 있고 싶었지만,
2달이 한계인가 봐.

네가 지금 자리를 내려두고, 새로운 길을 찾으
러 간다 했을 때, 내 마음에는 지진이 일어났어.
많이 흔들렸고, 아파했어.

너 만큼 좋은 사람이 없었기에 네가 더 그리운

가봐.

　내 구원자이자 행복전도사인 너,
　내 수호신인 너,

　우리 꼭 다시 만나요

　다시 만나는 그날까지 꾹 참고 삶에 집중할게

　그러니
　잊을 때쯤 나에게 나타나 줘
　너의 대한 감정이 원망으로 변할 때쯤 내게 나
타나 줘

　네가 다시 내 앞에 나타나는 그날을 기도하며

너라는 사람

나의 힘이 되어준 너라는 사람,
나의 행복이 되어준 너라는 사람,
나의 희망이 되어준 너라는 사람.

너라는 사람을 왜 더 이상 마주치지 못하고 있는 걸까. 분명 같은 장소인데도, 왜 너라는 사람을 부딪히지 못하고 있는 걸까.

너와 마주치고 싶어 열심히 돌아다니고, 헤맸는데. 너는 어디에 있는 걸까.

우리가 원해서 헤어진 게 아닌, 주변의 반대로 헤어진 건데. 왜 이러고 있는 걸까. 왜 우리가 아파야 하는 걸까.

너라는 사람은, 정말 소중한 거 같아.
너라는 사람은, 정말 사랑스러운 거 같아.
너라는 사람은, 정말 다정한 거 같아.

이상하게 너의 앞에서만 어려지고, 연약해져.

너만 생각하면 웃음이 나오고, 눈물이 나와.

근데 이제 웃을 수 없으니, 너무 절망스러워.

다시 내게 돌아와 주렴,
너라는 사람아.

네 손을 잡은 난 저 어두컴컴한 하늘의 별이 된 것 같았다

너와 손을 잡은 그 순간이었어.

내 심장은 두근두근 거리고, 정말 빠르게 쿵쾅 거렸어. 지진이 난 거처럼 말이야.

네 손을 잡은 난, 마치 저 어두컴컴한 하늘의 반짝이는 별이 된 것만 같았어.

드디어 너를 만났기에, 그토록 원하던 너와 손을 잡을 수 있었기에.

나의 꿈, 그리고 희망이 이루어졌어.

너의 어두운 마음의 작지만 밝은 희망이 될 수 있었기에, 내 바람은 여기서 끝이야.

더 큰 별이 되어 너를 환하게 해 줄게.

너도 천천히 마음을 열고 내게 다가와 줘.

꼭 우리가 만나 맑은 하늘이 되면 좋겠다,
꼭 우리가 만나 빛나는 하늘이 되면 좋겠다,
꼭 우리가 만나 반짝이는 하늘이 되면 좋겠다.

내가 너를 빛내줄게,

우리 꼭 맑은 하늘을 만들어 보자.

네가 주었던 그 인형은
나에게 인사를 건넸다

우리 어제 만났잖아,
어제 만난 네가 꼭 너 닮은 인형을 나에게 쥐어
줬잖아.

공주님인데 아기 같은, 그런 인형 말이야. 푹신
하기도 해서 정말 너의 외적인 부분과 내적인 부
분을 다 표현했다고 생각했어.

근데 거기서 녹음된 말이 나오더라,
그 말을 듣고 정말 세상이 무너지는 줄 알았어.

그 인형이,
"잘 지내"라며 말하더라.

딱 300일이었는데, 이것도 기념일 선물이라 생
각할게.

우리 이 녹음,
장난이라 하자.

거짓말이라고 내게 말해 줘.

그렇게 믿고 있을게,
자기야

네 마지막 흔적이
나에게 깊게 스며들길

너와 함께한 시간들,
너와 공유한 순간들.

너의 마지막 흔적일 줄은 상상치도 못 했어. 너
와 마지막 시간일 줄은 꿈에도 몰랐어.

이렇게 나타나면 어떡해, 바람이 되어서 나타나
면 어떡해.

조금만 기다리면 다시 돌아온다며, 며칠 밤만
참으면 다시 내 눈앞에 나타난다며.

너를 향한 내 마음이 슬픔에서 원망으로 변하기
전에 내게 돌아와 줘.

넌 나의 하나뿐인 친구였고, 친구야.

너와 함께한 순간들이 너무나도 소중했고, 사랑
했어.

정말 마지막으로 내 꿈에 한 번만 나와서 살아
달라고 말해주라. 네가 없는 삶은, 정말 지옥이나
다름없다는 걸 느꼈어.

매번 꿈꾸고, 바라며 기도하던 그 말.

네 마지막 흔적이 나에게 깊게 스며들길 바랄
게.